위기상황 생존 가이드북

위기상황 생존 가이드북

발 행 | 2023년 12월 21일

저 자 | 신동성

펴낸이 | 한건희

펴낸곳 | 주식회사 부크크

출판사등록 | 2014.07.15(제2014-16호)

주 소 | 서울특별시 금천구 가산디지털1로 119 SK트윈타워 A동 305호

전 화 | 1670-8316

이메일 | info@bookk.co.kr

ISBN | 979-11-410-6130-2

위기상황 생존 가이드북

신동성 지음

CONTENT

머리말

어렸을 때부터 나는 겁이 많았다. 비행기에 오르면 늘 비행기가 추락하면 어쩌나 걱정했고, 산을 오를 때에는 곰을 만나지 않을까 두려웠다. 자전거를 탈 때도 넘어져 다칠까 봐 겁먹었고, 심지어 라면을 끓일 때마다 냄비가 폭발할까 봐 마음이 조마조마했다. 이런 걱정들은 세월이 흘러도 여전히 나를 괴롭힌다. 나는 진짜 겁쟁이다.

그래서 나는 모든 위기 상황에서의 생존법을 하나씩 모으기 시작했다. 다큐멘터리와 각종 책을 참고하여, 극한 상황부터 일상의 사소한 사고까지, 생각할 수 있는 모든 위험에 대비하겠다고 결심했다. 물론 이런 일들이 실제로 발생할 확률은 극히 낮지만, 만약의 상황을 대비하는 것만으로도 나는 마음의 평화를 얻었다.

이 책에 담긴 생존법들이 실제로 필요한 순간이 없길 바라면서도, 만약의 상황이 일어난다면 이 책이 누군가에게 도움이 되길 희망한다. 아마도 평생 그런 일이 없으면 가장 좋겠지만, 혹시나 위기가 닥쳤을 때, 무심코 읽었던 이 책의 한 줄 문장이 구원의 손길이 되었으면 한다.

나와 같이 세상의 모든 것을 걱정하는 "겁쟁이"들에게 이 책을 바친다. 동시에, 나와는 달리 위험한 상황에서 스릴을 즐기는 '강심장'들에게도 이 책을 바친다. 이 책이 모든 독자들에게 어떤 상황에서도 살아남을 수 있는 지혜를 전해 주길 바란다.

2023.12.13
신동성 올림

1부: 각종 위기상황에서의 생존법

1부에서는 천재지변이나 불의의 사고 등 살면서 겪을 수 있는 각종 위기상황에서의 생존법을 다룬다. 이에 앞서 한 가지 당부의 말씀을 올리겠다. 생존법 자체를 배우는 것보다 더 중요한 것은 위기상황 자체를 피하는 것이다. 가령 야생동물이 출몰하는 산에 올라간다면, 야생동물을 만났을 때의 대처법을 배우고 페퍼스프레이 등을 준비하는 것도 물론 중요하지만, 애초에 야생동물 거주 구역과 등반 구역을 잘 인지하고 최대한 등반 구역으로만 다니거나, 더 근본적으로는 야생동물이 잘 출몰하지 않는 다른 산을 찾는 것이 더 훌륭한 일이 될 것이다.

생존법 1. 산에서 곰을 만났을 때

산을 탐험하는 것은 자연의 아름다움과 직면하는 경이로운 경험이다. 그러나 때로는 야생동물과의 갑작스러운 만남도 포함될 수 있다. 특히, 곰과의 마주침은 등산객이나 자연 애호가들에게 있어 가장 긴장되는 순간 중 하나일 것이다. 곰은 그들의 서식지에서 자주 발견되며, 대부분은 인간을 피해 다니지만, 때때로 우리는 예상치 못한 상황에서 그들과 마주칠 수 있다. 이러한 상황에서 올바르게 대처하는 방법을 아는 것은 매우 중요하다. 곰과 마주쳤을 때 안전하게 행동하는 방법을 이해하고 준비하는 것은, 산을 즐기면서도 위험한 상황을 피하는 데 큰 도움이 될 것이다.

침착함 유지: 곰을 보았을 때 가장 중요한 것은 침착함을 유지하는 것이다. 급작스럽게 움직이거나 소리를 지르지 않는다. 이는 곰을 자극하거나 위협적으로 느끼게 할 수 있다.

천천히 후퇴: 가능하다면, 곰이 당신을 인식하지 못한 상태라면, 천천히 뒤로 물러서는 것이 좋다. 갑작스런 움직임은 피하며, 곰의 이동 경로나 영역을 방해하지 않도록 한다.

자신을 크게 보여주기: 곰이 당신을 인식하고

다가온다면, 팔을 들어 올려 자신을 더 크게 보이게 하는 것이 좋다. 이는 곰에게 당신이 위협이 될 수 있다는 인상을 줄 수 있다.

공격적인 곰 대처법: 곰이 공격적으로 다가온다면, 눈에 띄지 않게 페퍼 스프레이와 같은 방어 도구를 사용할 준비를 한다. 하지만 이는 최후의 수단으로 사용해야 한다.

음식 또는 짐 버리기: 곰이 음식에 관심을 보이거나 공격적으로 다가온다면, 짐이나 음식을 버려 곰의 주의를 다른 곳으로 돌린다.

이러한 지침들은 산에서 곰을 만났을 때 생존과 안전을 위한 기본적인 안내가 될 것이다. 그러나 항상 기억해야 할 것은 야생동물과의 안전한 거리를 유지하고, 그들의 서식지를 존중해야 한다는 점이다. 자연에서의 모든 활동은 책임감과 경각심을 동반해야 한다.

생존법 2. 바다에서 표류할 때

해상 표류는 예기치 못한 사고나 자연 재해로 인해 발생할 수 있는 극한의 상황이다. 바다는 그 자체로 예측 불가능하고 때로는 적대적인 환경이 될 수 있으며, 이러한 상황에서의 생존은 철저한 준비, 침착함, 그리고 생존 기술에 달려 있다. 표류는 단순히 신체적인 생존을 넘어서 정신적, 감정적 도전을 포함한다. 따라서 해상에서 생존하기 위해서는 물리적인 준비 뿐만 아니라, 정신적 준비도 중요하다. 해상 표류 시 취해야 할 7가지 중요한 조치들은 다음과 같다. 이 조치들은 어려운 상황에서 살아남고 구조될 때까지 버틸 수 있도록 도와줄 것이다.

물 확보: 해상에서 가장 중요한 것은 식수를 확보하는 것이다. 비가 올 때는 가능한 모든 용기에 빗물을 담아야 한다. 또한, 해수를 증발시켜 담수를 만드는 방법도 고려할 수 있다. 이를 위해서는 플라스틱 시트나 비닐을 이용하여 간이 증발기를 만들 수 있다. 해수를 시트 아래에 두고 태양열로 증발시킨 물을 다른 용기에 모아 식수로 사용한다.

식량 확보: 식량 확보 역시 중요하다. 바다에서는 물고기나 해양 생물이 주된 식량원이 된다. 손이나 옷을 이용하여 물고기를 잡거나, 만약 가지고 있다면 낚시 도구를 사용할 수 있다. 또한, 해초나 부유하는 해양 식물을 수집하여 식량으로 사용할 수도 있다.

피난처 구축: 피난처는 태양으로부터 보호받고 탈수를 예방하는 데 도움이 된다. 구명보트나 뗏목에는 보통 작은 캐노피나 천막이 있지만, 없을 경우에는 옷이나 기타 재료를 이용하여 피난처를 만들 수 있다. 주의할 점은 피난처가 바람에 의해 안정성을 잃지 않도록 하는 것이다.

신호 보내기: 구조될 가능성을 높이기 위해서는 지속적으로 신호를 보내야 한다. 밝은 색의 천, 거울, 또는 불꽃 신호를 사용하여 위치를 알릴 수 있다. 낮에는 거울을 이용하여 햇빛 신호를 보내고, 밤에는 가능한 모든 광원을 사용하여 위치를 알린다.

체온 유지: 밤에는 체온을 유지하는 것이 중요하다.

가능한 모든 것을 사용하여 자신을 감싸서 체온을 유지하도록 한다. 특히, 머리와 목 부위를 따뜻하게 유지하는 것이 중요하다.

항해 기술 사용: 만약 기본적인 항해 기술을 알고 있다면, 별이나 해를 이용하여 대략적인 방향을 파악하고, 뭍에 가까운 곳으로 항해하려고 시도할 수 있다. 하지만, 이는 매우 전문적인 기술이 필요하므로 일반적인 상황에서는 구조를 기다리는 것이 더 안전할 수 있다.

정신력 유지: 마지막으로, 정신적으로 강인하게 버티는 것이 중요하다. 고립감과 스트레스를 관리하며, 구조될 때까지 침착함을 유지하고 긍정적인 생각을 계속하는 것이 중요하다.

해상 표류 시 가장 중요한 것은 처음부터 상황에 대비하는 것이다. 물과 식량, 구명 장비, 신호 장비를 포함한 비상용품을 항상 준비하는 것이 중요하다. 또한, 해상 표류는 자신의 능력과 준비성을 시험하는 극한의 상황이다. 이러한 상황에서 살아남기 위해서는 실용적인 생존 기술을 알고 있어야 하며, 무엇보다 중요한 것은 정신적 강인함과 긍정적인 태도를 유지하는 것이다. 신체적인 준비와 함께 정신적 준비를 갖추면, 이러한 어려운 상황 속에서도 최선의 결과를 얻을 수 있다.

생존법 3. 크레바스에 빠졌을 때

크레바스는 빙하나 설산에서 발견되는 깊은 균열로, 등산가들에게 큰 위험을 제시한다. 이러한 상황에서 살아남기 위해선 명확한 계획과 신속한 행동이 필요하다.

침착함 유지: 빠진 직후, 잠시 숨을 고르고 주변 상황을 파악해야 한다. 패닉에 빠지면 상황을 제대로 파악하고 대처하기 어렵기 때문이다. 가능한 한 빨리 상황을 평가하여 다음 행동을 결정한다.

구조대 지원 요청: 자가 구조를 시도하다가 자칫 더 깊이 빠질 수 있기에, 가능하다면 구조대에게 지원을 요청한 후 기다리는 것이 낫다. 그를 위해 빙하나

설산 등을 탐험할 때에는 반드시 팀을 구성해서 여럿이 함께 탐험을 실시해야 하며, 또한 언제나 구조대와 연락 가능하도록 무전기 등의 연락 장비를 갖춰야 한다.

자가 구조 시도: 만약 부상이나 날씨 등의 문제로 구조대를 마냥 기다리기 여의치 않다면, 등반 장비를 사용하여 자가 구조를 시도해야 한다. 아이젠과 얼음 도끼를 활용해 서서히 올라가거나, 안전 로프가 있다면 그것을 이용하여 탈출을 시도한다.

부상 확인 및 응급처치: 몸에 부상이 있는지 확인하고, 필요한 경우 간단한 응급처치를 시행한다. 이는 상태가 악화되는 것을 방지하고, 구조대가 도착할 때까지 생존을 돕는다.

체온 유지: 추위에 노출되어 있기 때문에 체온을 유지하는 것이 중요하다. 가지고 있는 비상용 담요를 사용하거나, 가능한 한 움직여서 체온을 유지한다.

구조 신호 보내기: 구조 신호를 보내거나 구조 요청

장비를 사용한다. 호루라기, 라디오, 또는 휴대전화를 사용해 구조 요청을 한다.

에너지 보존: 장시간 구조를 기다릴 수도 있으므로, 에너지를 아끼고 음식과 물을 절약하며 사용한다.

크레바스에서 살아남기 위해서는 무엇보다도 정신적 강인함이 필요하다. 구조를 기다리는 동안 침착함을 유지하고 긍정적인 생각을 유지하는 것이 중요하다. 또한, 크레바스와 같은 위험한 지형에서 탐험하기 전에 적절한 훈련과 준비를 하는 것이 중요하다. 이는 위급 상황에 대처하는 데 큰 도움이 되며, 실제 상황에서 생존 기술을 효과적으로 적용할 수 있게 한다.

생존법 4. 정글에서 길을 잃었을 때

정글에서 길을 잃었을 때 생존하는 것은 매우 도전적인 상황이다. 정글은 밀도가 높은 식물과 다양한 야생동물, 그리고 때로는 극한의 날씨 조건으로 인해 복잡한 환경이다. 이러한 상황에서 살아남기 위해서는 침착함을 유지하고, 몇 가지 중요한 생존 기술을 숙지해야 한다.

지형 파악: 높은 지대로 이동하여 주변을 파악하고, 탈출 방향을 정한다. 가능한 한 강이나 개울을 따라 이동하는 것이 좋다. 이는 문명으로 이어질 가능성이 높기 때문이다.

안전한 장소 찾기: 필요하다면 임시 피난처를 마련한다. 피난처는 비, 바람, 야생동물로부터 보호할 수 있어야 하며, 신호를 보낼 때 눈에 띄기 쉬운 위치에 있어야 한다.

물 확보: 정글에서는 식수를 찾기가 비교적 용이하다. 그러나 물은 반드시 정화해야 한다. 만약 정화 도구가 없다면, 물을 끓여서 사용하는 것이 좋다. 정 열악한 상황이라면, 갖고 있는 옷이라도 필터로 사용하는 것이 좋다. 야생에서 찾은 물을 정화 없이 먹게 되면 각종 질병에 시달릴 수 있으며, 이는 생존 확률을 낮추는 아주 위험한 일이 될 것이다.

식량 확보: 과일, 열매, 뿌리 등을 찾아 식량으로 사용한다. 하지만 알려지지 않은 식물은 독성이 있을 수 있으니 주의해야 한다.

신호 보내기: 구조를 요청하기 위해 대형 문자나 신호를 만든다. 예를 들어, 열린 공간에 큰 'SOS' 문자를 만들거나 밤에는 불을 피워 신호를 보낼 수 있다.

정신적 강인함 유지: 정글에서 살아남기 위해선 정신적으로 강해야 한다. 고립감과 두려움을 극복하고, 생존을 위한 의지를 유지하는 것이 중요하다.

야생동물로부터 보호: 정글에는 다양한 야생동물이 존재한다. 가능한 한 소음을 내지 않고, 야생동물과의 접촉을 피하며 이동한다.

정글에서 길을 잃었을 때 살아남는 것은 복잡하고 어려운 과제이다. 그러나 기본적인 생존 기술을 숙지하고, 상황에 적절하게 대응한다면 이러한 도전을 극복할 수 있다. 정글은 위험할 수 있지만, 적절한 지식과 준비, 그리고 의지가 있다면 생존할 수 있는 환경이다. 이러한 경험을 통해 자연에 대한 존중과 생존에 대한 깊은 이해를 얻을 수 있으며, 이는 어떠한 상황에서도 유용한 교훈이 될 것이다.

생존법 5. 악어에게 데스롤을 당할 때

 데스롤은 악어가 먹이를 잡고 물속에서 빠르게 회전하여 먹이를 제압하는 공격 방식이다. 이러한 상황에서 생존하기 위한 방법은 다음과 같다:

악어와 함께 돌기: 악어가 도는 방향을 따라 함께 회전한다. 회전으로 인한 피해를 최소화하기 위한 대처법이다.

눈 공격하기: 가능하다면, 악어의 가장 취약한 부분인 눈을 공격한다. 이는 악어가 놓아줄 가능성을 높일 수 있다.

구조 요청: 데스롤에서 벗어난 후에는 즉시 구조를

요청한다. 가능하다면 주변 사람에게 도움을 청하거나, 구조 신호를 보낸다.

 악어에게 데스롤을 당하는 상황은 매우 희귀하지만 위험한 상황이다. 중요한 것은 오지를 탐험하거나 동물원 등에 갈 때 악어와 적정 거리를 유지하여 애초에 데스롤을 당하지 않는 일이지만, 악어와 같은 야생의 위험한 포식자가 우리를 사냥감으로 정하고 달려들었다면 위와 같이 데스롤이라는 위험을 극복할 수 있을 것이다.

생존법 6. 지진이 일어났을 때

지진은 자연이 갑자기 드러내는 강력한 힘이며, 그 충격은 예상치 못한 순간에 우리의 일상을 흔들어 놓는다. 지진은 몇 초 내에 발생하며, 그 짧은 시간 동안 건물이 무너지고, 땅이 갈라지며, 우리의 안전이 심각하게 위협받을 수 있다. 그러므로 지진 발생 시 적절하게 대처하는 방법을 알고 있는 것은 각 개인과 커뮤니티에 있어 생명을 구할 수 있는 필수 지식이다. 지진 발생 시, 우리가 취할 수 있는 구체적인 조치들은 다음과 같다.

피난처 찾기: 견고한 가구 아래로 들어가거나 내부 벽 근처에 서서 몸을 보호한다. 문틀이나 창가 근처는 피한다. 또한, 야외라면 운동장이나 들판 등 넓은 장소로 가는 것이 좋다. 각종 낙하물로부터 보호받을 수 있기 때문이다.

머리 보호하기: 지진 중 날아오는 파편으로부터 머리를 보호하기 위해 팔로 머리와 목을 감싼다.

가스와 전기 차단: 가능하다면, 가스와 전기를 차단하여 화재나 폭발 위험을 줄인다.

창문, 유리 멀리하기: 유리창이나 거울과 같은 깨지기 쉬운 물건들로부터 멀리 떨어진다.

이동하지 않기: 지진이 진정될 때까지 한 곳에 머무른다. 이동하려고 하면 떨어지는 물체에 맞을 위험이 있다.

대피 계획 준비: 지진이 끝난 후에는 빠르고 안전하게 건물 밖으로 대피할 계획을 세운다.

긴급 통신 수단 확인: 휴대전화나 라디오를 사용해 긴급 상황 정보를 얻는다. 통신망이 불안정할 수 있으므로, 메시지를 보내는 것이 전화 통화보다 효과적일 수 있다.

지진은 끝난 후에도 그 영향이 계속될 수 있다. 주변의 파손된 구조물, 가스 누출, 전기 문제 등으로 인해 추가적인 위험이 발생할 수 있으므로, 지진 후에도 경계를 늦추지 않는 것이 중요하다. 여진이 발생할 수 있으므로, 안전한 곳에 머무르고 주변 상황을 지속적으로 확인해야 한다. 지진 대비는 개인과 커뮤니티가 함께 준비하고, 지속적으로 교육하고 의식을 높이는 과정이다. 이러한 준비는 우리가 예상치 못한 자연의 위협에 대응할 수 있는 능력을 키워준다. 지진에 대한 철저한 준비와 지식은 우리의 삶과 사랑하는 이들을 보호하는 데 결정적인 역할을 한다.

생존법 7. 홍수가 일어났을 때

홍수는 강이나 수로가 범람하여 주거 지역을 침수시키는 상황으로, 심각한 위협을 초래한다. 홍수는 종종 예측할 수 없으며, 급격하게 발생하여 생명과 재산에 큰 피해를 입힐 수 있다. 홍수 발생 시 취해야 할 생존법은 다음과 같다:

높은 곳으로 이동하기: 물이 빠르게 상승할 수 있으므로, 가능한 한 빨리 높은 지대나 층으로 이동한다.

긴급 키트 준비: 식수, 비상식량, 응급처치 키트, 휴대전화, 방수 토치, 여분의 배터리 등을 포함한 긴급 키트를 준비한다.

정전 대비: 홍수 시 전기가 끊길 수 있으므로, 필요한 모든 전자기기를 미리 충전해둔다.

중요 문서 보호: 중요한 문서와 개인적인 물품을 방수 가방에 넣어 보호한다.

물에 빠지지 않도록 주의: 홍수 물은 매우 위험하며, 강한 흐름과 물속에 숨은 위험들로 인해 생명을 위협할 수 있다.

구조 요청: 구조를 필요로 하는 경우, 구조 대를 호출하거나 주변 사람들에게 도움을 요청한다.

긴급 방송 청취: 라디오나 스마트폰을 통해 지역 긴급 방송을 청취하며, 대피 명령이나 기타 안전 정보를 확인한다.

홍수 상황에서는 물의 빠른 상승과 갑작스런 환경 변화에 대비하는 것이 중요하다. 상황을 예의주시하며, 물이 차오르기 시작하면 즉시 안전한 곳으로 이동해야 한다. 홍수는 예측하기 어렵기 때문에, 강이나 호수 등 물 주변에서 거주하거나 그런 곳에 놀러 갈 때에는 늘 홍수에 대비하고 있어야 하며, 비상시에 대한 계획을 세워두는 것이 중요하다.

생존법 8. 태풍이 불어올 때

태풍은 극도로 강한 바람과 폭우를 동반하며, 심각한 피해를 일으킬 수 있는 자연 재해이다. 이러한 상황에서 생존하기 위해서는 철저한 준비와 신속한 대응이 필요하다.

사전 준비: 태풍이 오기 전에 집과 주변 환경을 점검한다. 나무 가지를 자르고, 창문을 보호하며, 필요한 경우 모래주머니를 준비한다. 또한, 비상용품 키트를 준비한다. 이 키트에는 식수, 비상식량, 응급처치 키트, 휴대전화와 충전기, 손전등, 여분의 배터리, 휴대용 라디오, 필수 의약품 등이 포함되어야 한다.

안전한 장소로 이동: 태풍의 경로가 가까운 경우, 가능한 한 안전한 장소로 이동한다. 공공 대피소나 높고 견고한 건물로 대피하는 것이 좋다.

정보 업데이트 유지: 휴대용 라디오나 스마트폰을 통해 최신 기상 정보와 긴급 방송을 지속적으로 청취한다. 정부나 지역 당국의 지시에 따른다.

창문 및 문 보호: 강풍으로부터 창문을 보호하기 위해 튼튼한 판재나 보호용 필름을 사용한다. 문도 마찬가지로 강화한다.

전기와 가스 차단: 태풍이 도착하기 전에 가스와 전기를 차단하여 화재나 전기적 위험을 방지한다.

긴급 대피 준비: 만약 긴급 상황이 발생하여 대피해야 하는 경우를 대비하여, 대피 가방을 준비한다. 이 가방에는 중요 문서, 비상 연락처, 소량의 현금, 개인 위생 용품 등이 포함되어야 한다.

가족과의 연락 계획: 가족 구성원과 연락 계획을 세운다. 각자의 위치와 상태를 알리고, 정기적으로 연락을 취한다.

태풍은 예측하기 어렵고 갑작스럽게 발생할 수 있으므로, 항상 비상 상황에 대비하는 태도가 중요하다. 기상 예보를 주의 깊게 모니터링하고, 태풍이 다가올 때는 안전 조치를 취하는 것이 생명을 보호하는 데

결정적인 역할을 한다

생존법 9. 설원에서 조난당했을 때

설원에서 조난당했을 때 생존하는 것은 매우 도전적인 상황이다. 추위, 강한 바람, 제한된 가시성, 그리고 종종 구조가 어려운 환경이 이를 더욱 어렵게 만든다. 이러한 상황에서 생존하기 위한 방법은 다음과 같다:

체온 유지: 체온을 유지하는 것이 가장 중요하다. 젖은 옷은 가능한 빨리 벗고, 건조한 옷으로 갈아입는다. 여러 겹의 옷을 입어 체온을 보존하고, 특히 머리와 손, 발을 따뜻하게 유지한다.

피난처 마련: 바람으로부터 보호될 수 있는 피난처를 찾거나 만든다. 눈 속에 구멍을 파거나, 눈을 쌓아 피난처를 만들 수 있다. 피난처 내부는 가능한 한 작아야 체온을 유지하기 쉽다.

물 확보: 눈을 녹여 식수로 사용한다. 직접 눈을

먹으면 체온이 떨어질 수 있으므로, 가능한 한 물로 만들어 마신다.

에너지 보존: 불필요한 활동은 최소화하여 에너지를 아끼고 체력을 보존한다.

구조 신호 보내기: 밝은 색의 천이나 구조 신호 장비를 사용하여 구조 신호를 보낸다. 라디오, 휴대전화, 휘슬 등을 이용해 구조대의 주의를 끌 수 있다.

위치 파악: 주변 환경을 관찰하고, 가능하다면 위치를 파악한다. 이는 구조대가 위치를 찾는 데 도움이 된다.

정신력 유지: 긍정적인 태도와 희망을 유지하는 것이 중요하다. 스트레스와 고립감을 관리하며, 생존에 필요한 결정을 내리는 데 정신적인 강인함이 필요하다.

설원에서의 조난 상황은 극한의 환경에서 생존

기술과 의지력을 시험한다. 따라서, 가능하면 늘
비상 상황에 대비해야 하며, 야외 활동 전에 철저한
준비와 계획이 필요하다.

생존법 10. 사막에서 조난당했을 때

사막에서 조난당했을 때 생존하는 것은 극도로
어려운 일이다. 사막은 높은 기온, 강한 일사, 제한된
물 자원, 그리고 도움을 받기 어려운 환경으로 인해
도전적인 장소이다. 이러한 상황에서 생존하기 위한
방법은 다음과 같다:

물 확보: 물은 사막에서 생존의 가장 중요한
요소이다. 가능한 모든 방법으로 물을 확보해야 한다.
예를 들어, 새벽이나 이른 아침에 이슬을 수집하거나,
비닐 시트를 사용하여 증발수를 수집할 수 있다.

체온 조절: 낮에는 태양 노출을 최소화하여 체온을
낮춘다. 가능하면 그늘에 머무르고, 가벼운 옷을
입어 햇볕을 차단한다. 또, 피부를 보호하기 위해
긴팔 긴바지 등 피부를 가릴 수 있는 옷을 입는

것이 좋다.

이동 계획: 최대한 에너지를 절약하기 위해, 낮에는 휴식을 취하고, 해가 진 후 또는 새벽에 이동한다. 한밤중의 이동은 피하는 것이 좋은데, 사막은 일교차가 매우 커서 사막의 한밤중은 오히려 아주 추울 수 있기 때문이다. 사막의 일교차는 최대 섭씨 60도까지도 벌어진다.

방향 유지: 방향 감각을 유지하기 위해 별이나 태양의 위치를 활용한다. 가능한 목표 지점을 설정하고, 일관된 방향으로 이동한다.

비상 식량: 사막에서 식량을 찾기는 어렵지만, 비상 식량을 가지고 있다면 절약하여 사용한다.

구조 신호 보내기: 구조 신호를 보낼 수 있는 장비를 가지고 있다면, 지속적으로 신호를 보낸다. 또한, 지형을 활용해 구조 신호를 만들 수도 있다.

정신력 유지: 사막에서의 조난은 신체적, 정신적

도전이다. 긍정적인 마인드셋을 유지하고, 생존을 위한 결정을 침착하게 내리는 것이 중요하다.

 사막에서 조난당했을 때는 물과 음식, 체온 조절, 방향 감각 유지가 생존의 핵심 요소이다. 또한, 구조 요청과 정신적 강인함도 매우 중요한 부분이다. 가능한 한 사막 환경에서의 위험에 대비하고, 필요한 생존 기술을 익혀두는 것이 좋다.

생존법 11. 바다에 잠수할 때

 바다는 인간이 탐험할 수 있는 가장 신비로운 환경 중 하나이다. 깊은 바다의 아름다움과 미지의 세계를 탐험하는 것은 흥미진진하지만, 동시에 다양한 위험을 내포하고 있다. 바다의 압력, 제한된 산소 공급, 그리고 예측 불가능한 해양 생태계는 잠수부에게 극도의 주의와 철저한 준비를 요구한다. 이러한 환경에서의 생존을 위해서는 다음과 같은 조치를 취해야 한다.

적절한 훈련 및 준비: 잠수 전에 전문적인 훈련을

받고, 잠수 장비의 사용 방법과 비상 상황 대처법을
숙지한다.

체크리스트 점검: 잠수 전에 장비를 철저히 점검한다.
산소 탱크, 조절기, 잠수복, 통신 장비 등 모든
장비가 제대로 작동하는지 확인한다.

비상 상황에 대비: 비상 시에 사용할 수 있는 추가
산소 공급, 위치 추적 장치, 신호 장비 등을 갖춘다.

압력 관리: 잠수 및 상승 시 압력 변화에 주의를
기울이며, 감압병을 방지하기 위해 천천히 상승한다.

신호 및 통신 유지: 물속에서는 팀원과 지속적으로
통신을 유지하며, 비상 상황 시 신호를 보낼 수 있는
준비를 한다.

체력 및 에너지 관리: 잠수 중 체력과 에너지를
절약하고, 산소 소비를 최소화한다.

정신력 유지: 잠수는 정신적으로도 힘들 수 있으므로,

침착함을 유지하고 긍정적인 태도를 갖는 것이
중요하다.

바다 잠수는 인간이 자연의 한계를 뛰어넘어
도전하는 행위이다. 이러한 도전은 매우 보람차지만,
심각한 위험을 수반한다. 따라서 잠수 전의 철저한
준비, 장비 점검, 비상 상황에 대한 계획은
필수적이다. 또한, 바다에서의 생존은 신체적인
준비뿐만 아니라 정신적인 준비도 중요하다.
침착함과 긍정적인 마인드를 유지하며, 바다의
아름다움과 신비를 안전하게 탐험하자.

생존법 12. 방사능이 유출되었을 때

방사능 유출은 현대 사회에서 가장 위험한 재난 중
하나이다. 핵발전소 사고, 의료 기기의 오작동, 또는
산업 재해 등 다양한 원인으로 발생할 수 있으며,
이는 심각한 건강 위험을 초래한다. 방사능 유출은
눈에 보이지 않으며, 그 영향은 즉각적이고 장기적일
수 있다. 이러한 위험에 대비하고 생존하기 위해서는
다음과 같은 조치가 필요하다.

즉시 대피하기: 방사능 유출이 발생한 지역에서는 가능한 빨리 안전한 지역으로 대피해야 한다. 정부나 관계 당국의 대피 지시를 따르고, 지정된 대피소나 안전한 지역으로 이동한다.

방사능 노출 최소화하기: 방사능에 노출되지 않도록 최대한 노력한다. 가능하면 긴팔 옷과 긴 바지를 착용하여 피부 노출을 최소화하고, 호흡기 보호 장비(가스 마스크 또는 방진 마스크)를 사용한다.

식수와 식량 보호하기: 방사능 유출 시 식수와 식량이 오염될 수 있다. 밀폐된 식수와 식량을 사용하고, 가능하면 사전에 준비한 비상 식량을 이용한다. 오염된 지역의 물이나 음식은 섭취하지 않는다.

오염된 옷과 물품 처리하기: 안전한 지역에 도착하면, 오염될 가능성이 있는 옷과 물품을 벗고, 비닐봉지에 담아 분리한다. 가능하면 샤워를 하여 피부를 깨끗이 한다.

의료 도움 받기: 방사능 노출 의심 시 즉시 의료 도움을 받는다. 의료 전문가는 적절한 치료와 조언을 제공할 수 있다.

정보 업데이트 유지하기: 정부나 관련 기관에서 제공하는 최신 정보를 지속적으로 확인한다. 이 정보는 대피 지침, 오염 지역, 의료 지원 등에 대한 중요한 내용을 포함할 수 있다.

방사능 유출 사고는 그 자체로 매우 심각한 상황이며, 즉각적인 대응이 필요하다. 주요한 목표는 자신과 주변 사람들을 방사능으로부터 보호하는 것이다. 이를 위해서는 적절한 보호 장비 착용, 오염된 지역에서의 신속한 대피, 정부의 지침 따르기가 중요하다. 또한, 오염된 식수와 식량의 섭취를 피하고, 건강 상태를 주기적으로 체크하는 것이 필요하다.

생존법 13. 비행기가 추락할 때

비행기 추락은 매우 드문 사건이지만, 이러한 극한 상황에 대비하는 것은 여행 중 중요한 안전 조치의 일부이다. 비행기가 추락하는 도중 생존 가능성을 높이기 위한 조치는 다음과 같다:

안전벨트 착용: 비행 중 언제나 안전벨트를 착용하는 것이 중요하다. 특히 추락 위험이 발생했을 때, 안전벨트는 몸을 좌석에 고정시켜 추가적인 부상을 방지한다.

충돌 자세 취하기: 좌석 앞에 있는 안전 카드를 확인하여 비상 상황시 취해야 할 자세를 숙지한다. 일반적으로는 몸을 앞으로 숙이고, 머리를 무릎 사이에 넣고, 손으로 머리 뒤편을 보호하는 자세를 취한다.

산소 마스크 사용: 갑작스런 기압 변화 시, 산소 마스크가 자동으로 떨어진다. 즉시 마스크를 착용하고, 깊고 천천히 숨을 쉰다.

비상 출구 위치 숙지: 비행기 내 비상 출구의 위치를 알고 있어야 한다. 출구까지의 거리와 위치를 미리 확인한다.

긴급 상황 시 듣기: 승무원의 지시와 안내를 주의 깊게 듣고 따른다. 긴급 상황 시 승무원의 지시가 생존에 결정적인 역할을 할 수 있다.

비상용품 사용: 가능하면, 구명 조끼를 착용하고 비상용 휘슬이나 빛을 사용하여 위치를 알린다. 추락 후 구조를 기다리는 동안 이러한 장비가 중요할 수 있다.

구조 대기: 안전하게 비행기를 떠난 후, 구조를 기다리며, 가능하다면 다른 승객과 함께 머문다.

비행기 추락 상황은 매우 드물지만, 비행기를 이용할 때는 항상 이러한 비상 상황에 대비해야 한다. 출발 전에 비상 출구의 위치를 확인하고, 안전 지침을 숙지하는 것이 중요하다. 이러한 준비는 비상 상황 발생 시 침착하게 대처하는 데 큰 도움이 될 수 있다.

생존법 14. 산사태가 일어났을 때

산사태는 등산이나 하이킹을 즐기는 사람들에게 큰 위험을 초래할 수 있다. 이런 상황에서 산사태로부터 안전하게 생존하기 위한 중요한 지침들을 아래와 같이 설명하겠다.

사전 대비: 등산이나 하이킹을 시작하기 전에 지형과 날씨 조건을 충분히 조사한다. 지도 및 날씨 예보를 확인하고, 안전한 시간대에 활동을 계획한다. 급한 일이 아니라면 산사태 경보나 경고를 무시하지 말아야 한다. 지역 당국과 난재 관리기관의 정보를 신뢰하고 이에 따라야 한다.

피난 방향 탐색: 산사태가 발생하면 주변 환경을 빠르게 평가한다. 안전한 지역 또는 고지대로 이동하는 옵션을 찾아본다.

신속한 피난과 위치 파악: 산사태가 다가오면 빠른 속도로 피난한다. 단, 사람들과 함께 움직이며 동료들의 위치를 지속적으로 확인해서, 혹시 모를 실종에 대비해야 한다.

피할 수 없을 때: 산사태를 피할 수 없는 상황에서는 몸을 구부리고, 가능한 한 지형과 물체를 피하도록 노력한다. 특히 손으로 머리를 가리는 것이 좋다.

산사태로부터 생존하기 위해서는 사전 대비와 빠른 대응이 중요하다. 항상 안전한 활동을 위해 지식을 쌓고, 상황에 따라 조심스럽게 움직이는 것이 필요하다.

생존법 14. 산불이 발생했을 때

산불은 예고 없이 발생하며, 빠르게 확산되어 인명과 재산에 큰 위협을 가한다. 산불 대처 방법은 다음과 같다:

산불 감시 및 정보 수집: 산불 발생 가능성이 있을 때는 항상 최신 기상 정보와 산불 경보에 주의를 기울인다. 지역 방송, 인터넷, 모바일 앱을 통해 정보를 수집하고, 산불 발생 시 신속히 대응할 수 있도록 준비한다.

대피 계획 수립: 가족 또는 동거인과 함께 대피 계획을 수립한다. 대피 경로, 만남 장소, 연락 방법 등을 미리 정하고, 비상시 즉시 실행할 수 있도록 한다.

비상 키트 준비: 비상 키트에는 생수, 비상식량, 응급처치용품, 손전등, 여분의 배터리, 휴대전화 충전기, 중요 문서, 천막, 잠옷, 개인 위생용품 등을 포함한다. 또한, 필요에 따라 약품과 어린이 또는 노인을 위한 특별한 물품도 준비한다.

대피소 확인: 지역 대피소의 위치를 미리 파악하고, 산불 발생 시 대피소로 이동할 수 있도록 준비한다.

산불 대피: 산불이 근접하거나 대피 명령이 내려졌을 때는 즉시 대피한다. 불필요한 물품은 버리고, 가장 중요한 물품만 가지고 빠르게 이동한다.

등산중 산불을 만났을 때: 산불은 초기 대응이

중요하다. 즉시 신고 후, 불이 작다면 나뭇가지 등으로 두드려 소화를 시도한다.

산불이 번질 때: 산불이 번질 때에는 신속히 대피하는 것이 중요하다. 산불은 바람을 타고 퍼지기에 바람 반대 방향으로 몸을 피해야 한다.

대피 방향 설정: 주위를 살펴 이미 탔거나, 수풀 등 탈 것이 적은 곳, 도로, 물가 등으로 몸을 피해야 한다.

호흡기 보호: 산불 연기는 매우 위험하므로, 먼지 마스크, 스카프, 또는 젖은 천 등을 사용하여 입과 코를 보호한다.

신체 보호: 긴팔 옷과 바지를 입어 피부를 보호하고, 모자와 선글라스로 머리와 눈을 보호한다. 가능하면 두꺼운 소재의 옷을 선택한다.

구조 요청: 안전한 곳에 도착하면, 구조 요청을 하고, 주변 사람들과 협력하여 상황을 파악한다.

산불은 불확실하고 예측 불가능한 자연 재해이다. 따라서, 산불이 발생할 수 있는 지역에 거주한다면 항상 대비하고 있어야 하며, 산불 발생 시 신속하게 대피하는 것이 중요하다. 정기적으로 대피 계획을 점검하고, 비상 키트를 준비하는 것이 중요하며, 산불 발생 시에는 침착하게 행동하여 자신과 가족의 안전을 지키는 것이 최우선이다.

생존법 15. 화산이 폭발할 때

화산 폭발 시의 생존법은 매우 중요하며, 철저한 준비와 신속한 대응을 요구한다. 화산 폭발은 예측하기 어렵고, 강력한 용암 흐름, 화산재, 가스 배출 등으로 인해 광범위한 피해를 입힐 수 있다. 아래는 화산 폭발 시 취해야 할 생존법이다:

화산 활동 정보 모니터링: 화산 지역에 거주한다면, 정기적으로 지역 기상청 및 지질 조사 기관의 화산 활동 정보를 확인한다. 화산 활동이 증가하고 있다는 경고가 있을 때는 더욱 주의 깊게 정보를 모니터링한다.

대피 계획 수립: 가족 또는 동료와 함께 화산 폭발 시 대피할 경로와 장소를 미리 계획한다. 비상 연락망을 구축하고, 대피 시 서로 연락할 수 있는 방법을 마련한다.

비상 키트 준비: 비상 키트에는 생수, 비상식량, 응급처치용품, 손전등, 여분의 배터리, 휴대전화 충전기, 중요 문서, 필수 의약품 등을 포함한다. 또한, 화산재로부터 보호할 수 있는 마스크와 보호 안경도 준비한다.

화산재로부터 보호하기: 화산재는 호흡기 질환을 유발할 수 있으므로, 화산재가 공기 중에 있는 지역에서는 마스크를 착용한다. 가능하면 실내에 머물며, 집안으로 화산재가 들어오지 않도록 창문과 문을 닫는다.

대피 명령 준수: 대피 명령이 내려졌을 때는 즉시 대피한다. 안전한 지역으로 이동하며, 지정된

대피소를 이용한다.

구조 요청: 안전한 곳에 도착한 후에는 구조 요청을 하고, 가족 및 친구들과 연락을 취한다. 지역 당국의 지시에 따르며, 추가 지침을 기다린다.

화산 폭발 후 대처: 화산 폭발 후에는 재난 지역으로 돌아가지 않는다. 지역 당국의 안전 확인과 허가가 있을 때까지 대피소나 안전한 지역에 머무른다.

화산 폭발은 예측하기 어려운 자연 재해로, 발생 시 신속한 대응이 필수적이다. 따라서, 화산 지역에 거주하거나 방문할 계획이 있다면, 사전에 화산 활동 정보를 숙지하고, 필요한 준비를 해두는 것이 중요하다.

생존법 16. 자동차가 급발진할 때

자동차 급발진은 예기치 않게 발생할 수 있으며, 적절한 대처 방법을 알고 있는 것이 필수적이다. 다음은 자동차 급발진 시 취해야 할 조치들이다:

강한 브레이크 밟기: 급발진이 발생하면 가장 먼저 브레이크를 강하게 밟아야 한다. 일부 차량에서는 브레이크가 엔진의 힘을 이길 수 없을 수도 있지만, 여러 번 시도해볼 필요가 있다.

변속기를 중립(N)으로 놓기: 차량이 계속 가속되고 있다면, 즉시 변속기를 중립(N)으로 전환한다. 이는 엔진과 바퀴 간의 연결을 끊어 차량의 추가 가속을 방지한다.

비상등 켜기: 다른 운전자들에게 긴급 상황을 알리기 위해 비상등을 켜야 한다.

핸드브레이크 사용: 주의를 기울여 서서히 핸드브레이크를 당겨 차량을 멈추게 한다. 갑작스럽게 핸드브레이크를 당기면 차량이 미끄러질 수 있다.

엔진 끄기: 차량이 멈춘 후 안전하다고 판단되면 엔진을 끈다. 이는 차량이 다시 가속되는 것을

방지한다.

전문가에게 차량 점검 받기: 사고 이후에는 차량을 전문가에게 점검 받아야 한다. 이는 급발진의 원인을 파악하고 향후 유사한 상황을 예방하는 데 도움이 된다.

자동차의 급발진은 드물지만, 만약의 상황에 대비하여 이러한 조치들을 숙지하고 있는 것이 중요하다. 특히 사전에 머릿속으로 급발진에 대한 시뮬레이션을 진행하여 만약의 상황에서 조금이라도 더 침착할 수 있도록 대비하고, 정기적인 차량 점검과 유지 보수를 통해 차량의 안전성을 확보하는 것도 중요하다.

생존법 17. 실내에서 화재가 발생했을 때

실내 화재는 긴요하고 위험한 상황으로, 즉시 대응이 필요하다. 이런 상황을 만났을 때 도움이 될 생존 솔루션은 다음과 같다.

초기 진화: 불이 막 붙기 시작했다면, 소화기를 이용해 진화를 시도하는 것이 좋다. 이를 위해서는 사전에 소화기 사용법을 충분히 숙지하고, 또한 적절한 안전점검이 이루어진 소화기를 실내에 항상 배치하는 것이 중요하다 만약 소화기가 없다면 옷가지를 이용하거나, 주방에서는 양배추 등의 식재료를 이용하여 화재에 공급되는 산소를 차단하는 것이 유효할 수 있다.

대피: 가장 중요한 목표는 모두를 안전하게 밖으로 데려가는 것이다. 만약 적절한 소방 장비와 훈련 및 지식이 없다면 성급하게 화재를 진압하려고 시도하지 말고, 대피를 우선시해야 한다.

도움 요청: 지역 비상 번호(예: 119)를 다이얼하여 화재를 보고하고 전문 소방 지원을 요청해야 한다. 침착하게 정확한 주소와 상황 세부 정보를 제공해야 한다.

지면에 가깝게 유지: 화재로부터 나오는 연기와 유독한 가스는 화재보다도 치명적일 수 있다.

실내에서 나오는 동안 몸을 공기가 더 맑은 지면에 가까이 유지하는 것이 좋다. 연기를 피하기 위해 필요하면 기어가는 것이 좋으며, 젖은 수건 등으로 입과 코를 막는 것이 좋다.

기름 화재에서 물 사용하지 않기: 만약 기름으로 인한 화재라면, 절대로 물로 화재를 진압하려고 해서는 안된다. 물은 화재를 확산시키거나 기름의 고발성으로 인해 폭발을 일으킬 수 있다. 기름 화재를 진압하는 데 사용되는 K 클래스 화재 진압기를 사용하는 것이 가장 안전하고, 그러기 위해서는 훈련이 필요하다.

대피 계획: 사전에 대피 계획을 가지고 있어야 한다. 그래서 화재 발생 시 구성원 모두가 가장 빠르고 안전한 방법으로 나갈 수 있어야 한다. 정기적으로 화재 훈련을 실시하는 것이 좋다.

밖에서 머무르고 기다리기: 집에서 나와서는 반드시 밖에서 머무르고, 소방서가 안전하다고 선언할 때까지 다시 들어가서는 안된다. 화재가 재발할 수 있고, 화재가 잡힌 듯 보이더라도 유독한 연기가 머무를 수 있다.

의료 도움 찾기: 누군가가 연기에 노출되거나 화상을 입었다면 즉시 의료진에게 도움을 요청해야 한다.

 실내 화재로부터 살아남기 위해서는 무엇보다도 적절한 사전 대비와 훈련을 실시하고, 소화기 등의 장비를 마련하는 것이 중요하다. 또, 신속한 신고와 침착한 대피를 통해 안전을 지켜야 한다.

생존법 18. 바다에서 상어를 만났을 때

바다에서 상어를 만났을 때의 생존법은 매우 중요하다. 상어는 대부분 사람을 공격하지 않지만, 상어와 마주쳤을 때 취해야 할 적절한 조치를 알고 있는 것이 안전을 위해 필수적이다. 다음은 상어를 만났을 때의 생존법이다:

침착함을 유지하기: 상어를 발견했을 때 가장 중요한 것은 침착함을 유지하는 것이다. 갑작스럽게

움직이거나 소리를 지르는 행동은 상어의 호기심을 자극할 수 있다.

눈을 마주치기: 가능하다면, 상어의 눈을 지속적으로 주시한다. 대부분의 상어는 직접적인 눈맞춤을 피하려고 한다.

방어적인 자세 취하기: 상어가 공격적인 행동을 보이기 시작하면, 몸을 최대한 크게 보이게 하고, 등을 바다나 해저에 대지 않도록 한다. 이는 상어가 뒤에서 접근하는 것을 방지한다.

천천히 후퇴하기: 가능한 한 천천히 물러나며, 상어와의 거리를 늘린다. 갑작스럽게 움직이거나 빠르게 헤엄치는 것은 피한다.

접촉을 피하기: 상어가 접근해 오더라도, 공격적으로 행동하거나 상어를 건드리는 것을 피한다. 상어는 방어적으로 반응할 수 있으며, 이는 상황을 더욱 위험하게 만들 수 있다.

만약 공격을 당한다면: 상어가 공격을 시작한다면, 강하게 저항해야 한다. 눈, 아가미, 코는 상어의 가장 민감한 부위이므로, 이 부위를 공격하는 것이 효과적이다.

구조 요청하기: 안전한 곳으로 도달하면 즉시 구조를 요청한다. 해변 감시원, 구조대, 또는 다른 수영객에게 도움을 요청한다.

상어와의 조우는 드문 일이지만, 바다에서 수영이나 다이빙을 할 때는 항상 가능성을 염두에 두고 대비해야 한다. 대부분의 상어는 인간을 자연적인 먹이로 여기지 않지만, 호기심이나 방어적인 행동으로 접근할 수 있다. 따라서, 상어를 발견하면 침착하게 대응하고, 가능한 한 빨리 안전한 곳으로 이동하는 것이 중요하다. 상어와의 조우를 피하기 위해서는 상어가 자주 출몰하는 지역을 피하고, 또 바다수영을 할 때에는 언제나 혼자 수영하는 것을 삼가는 것이 좋다.

생존법 19. 낙하산이 올바르게 펴지지 않을 때

스카이다이빙 등을 즐길 때 낙하산이 작동하지 않거나 줄이 꼬이는 등, 낙하산이 올바르게 펴지지 않는 것은 드물지만 위험한 상황이며, 적절한 대처법을 알고 있어야 한다. 낙하산이 올바르게 펴지지 않을 때의 대처법은 다음과 같다.

낙하 전 비상 낙하산 준비하기: 만일의 경우를 대비하여, 언제나 주 낙하산 뿐 아니라 비상 낙하산까지 준비해야 한다.

침착함 유지하기: 낙하산이 올바르게 펴지지 않았을 때 가장 중요한 것은 침착함을 유지하는 것이다. 패닉에 빠지면 상황을 제대로 파악하고 대처하기 어렵다.

가벼운 시도: 가끔은 몸을 움직여주거나 조종 줄을 살짝 당겨주면 낙하산이 바로 펴질 수 있다.

비상 낙하산 사용하기: 낙하산이 계속해서 펴지지 않거나, 라인의 꼬임을 풀 수 없는 경우 비상 낙하산을 사용해야 한다. 이를 위해 주 낙하산을 분리하고, 비상 낙하산을 배출한다.

분리 동작 연습하기: 사전에 정기적으로 비상 낙하산 사용 절차를 연습하고 숙지해야 한다. 이는 긴급 상황 발생 시 신속하고 정확하게 대처하는 데 도움이 된다.

착지 자세 준비하기: 비상 낙하산이 펴진 후에는 착지에 대비하여 올바른 자세를 취한다. 무릎과 발목을 살짝 구부리고, 착지 시 충격을 분산시키는 자세를 취한다.

구조 요청하기: 안전하게 착지한 후, 가능한 한 빨리 구조 요청을 한다. 스카이다이빙 중 사고는 신속한 구조와 의료 조치가 필요할 수 있다.

낙하산은 매우 안전한 발명품이지만, 항상 예기치 못한 상황에 대비해야 한다. 따라서, 교육과 연습을 통해 비상 상황에서의 대처법을 숙지하고, 점프 전에 모든 장비를 철저히 점검하는 것이 중요하다.

생존법 20. 선박이 침몰할 때

선박이 침몰할 때의 생존법은 매우 중요하다. 바다에서의 사고는 예기치 않게 발생할 수 있으며, 적절한 대처 방법을 알고 있는 것이 생존에 결정적인 역할을 할 수 있다. 다음은 선박이 침몰할 때 취해야 할 조치들이다:

긴급 상황 인식: 선박에 문제가 발생했음을 알게 되면, 즉시 긴급 상황임을 인식하고 대응 준비를 한다. 이는 패닉을 피하고 체계적으로 대처하는 데 도움이 된다.

구명조끼 착용: 구명조끼는 생존에 필수적인 장비이다. 가능한 한 빨리 구명조끼를 찾아 착용하고, 올바르게 조절하여 몸에 밀착되도록 한다. 특히 다리 사이에 끼우는 끈을 반드시 착용해야 하는데, 이를 올바르게 착용하지 않으면 구명조끼를 입고 물에 들어갔을 때 구명조끼가 머리 위로 붕 뜨면서 벗겨질 수 있다.

비상 신호 수단 확보: 휘슬, 라이트, 반사경과 같은 비상 신호 수단을 확보하여, 구조대에 자신의 위치를 알릴 수 있도록 준비한다.

긴급 대피 지시 따르기: 선박의 승무원 또는 캡틴의 지시에 따라 대피한다. 이들은 비상 대피 절차를 숙지하고 있으므로, 그들의 지시를 따르는 것이 중요하다.

구명보트 사용: 구명보트가 있다면, 차분하게 그리고 체계적으로 탑승한다. 과밀화를 피하고, 여유 공간을 남겨두어 보트의 안전성을 유지한다.

냉정하게 대처하기: 물에 뛰어들 때는 머리와 목을 보호하며, 가능한 한 차분하게 행동한다. 주변 사람들과 협력하여 상황을 관리한다.

구조 요청: 안전한 상태에 도달하면, 가능한 모든 방법으로 구조를 요청한다. 무전기, 신호용 라이트, 휴대폰 등을 사용하여 구조 신호를 보낸다.

체온 유지: 물에서는 체온이 급격히 떨어질 수 있다. 구명조끼의 보온 기능을 최대한 활용하고, 필요하다면 다른 생존자들과 몸을 맞대어 체온을 유지한다.

구조 대기: 구조가 올 때까지 안전하게 대기한다. 구조대의 지시에 따르고, 필요한 의료 조치를 받는다.

선박 침몰 상황은 매우 위험하며, 신속하고 침착한 대처가 필요하다. 따라서, 선박을 이용할 때는 항상 비상 상황에 대비하고, 구명조끼의 위치와 대피 절차를 미리 숙지하는 것이 중요하다. 바다에서의 생존은 준비와 초기 대응에 크게 좌우되므로, 선박 이용 시 이러한 준비를 간과하지 않는 것이 생명을 구하는 데 결정적일 수 있다.

생존법 21. 동굴 탐험 중 길을 잃었을 때

동굴 탐험 중 길을 잃었을 때의 생존법은 매우 중요하다. 동굴은 어둡고 복잡한 구조를 가지고 있어, 길을 잃기 쉬운 환경이다. 다음은 동굴에서 길을

잃었을 때 취해야 할 조치들이다:

침착함 유지하기: 동굴에서 길을 잃었을 때 가장 중요한 것은 침착함을 유지하는 것이다. 패닉에 빠지면 상황을 제대로 판단하기 어렵다.

위치 파악하기: 가능한 한 주변 환경을 관찰하여, 어떻게 길을 잃었는지 파악한다. 이전에 지나온 특징적인 지형이나 표시를 기억하여, 되돌아갈 수 있는 경로를 찾는다.

조명 관리하기: 헤드램프나 손전등의 배터리를 아끼기 위해, 필요할 때만 사용한다. 어두워지면 시야가 제한되므로, 조명 관리는 중요하다.

소리로 위치 알리기: 큰 소리를 내거나 휘파람 등을 사용하여 위치를 알린다. 구조대나 다른 탐험가들이 소리를 듣고 위치를 파악할 수 있다.

물과 식량 절약하기: 가지고 있는 물과 식량을 절약하여 사용한다. 동굴에서는 식수를 찾기 어렵기

때문에, 물 사용을 최대한 절약한다.

이동 최소화하기: 무작정 이동하는 것보다는 한 곳에 머무르며 구조를 기다리는 것이 종종 더 안전하다. 무분별한 이동은 에너지 소모를 증가시키고 위험에 빠질 수 있다.

체온 유지하기: 동굴은 춥고 습할 수 있으므로, 체온을 유지하기 위해 옷을 여러 겹 입는다. 가능하다면, 건조한 곳을 찾아 몸을 보호한다.

구조 요청하기: 휴대폰이나 무전기가 있다면, 구조 요청을 시도한다. 동굴 내에서는 신호가 약할 수 있지만, 시도해 볼 가치가 있다.

동굴 탐험은 매우 흥미로운 활동이지만, 항상 위험을 수반한다. 따라서, 탐험 전에 충분한 준비를 하고, 항상 동료와 함께 탐험하는 것이 중요하다. 또한, 동굴 내부의 지형을 사전에 파악하고, 비상시를 대비한 장비와 식량, 물을 준비하는 것이 필수적이다.

생존법 22. 대형 교통사고에 휘말렸을 때

대형 교통사고에서 살아남는 것은 신속한 판단과 적절한 행동이 요구된다. 다음은 고속도로에서 대형 교통사고가 발생했을 때 취해야 할 조치들이다:

침착함을 유지하기: 우선, 침착함을 유지하는 것이 중요하다. 패닉에 빠지면 상황을 제대로 파악하고 대처하기 어렵다.

안전벨트 착용하기: 안전벨트는 사고로 인한 부상을 줄일 수 있는 가장 중요한 수단이다. 평소 차량에 탑승할 때 항상 안전벨트를 착용하는 것이 중요하다.

차량의 위치 파악하기: 차량이 안전한 위치에 있는지, 또는 추가적인 위험에 노출되어 있는지 파악한다. 상황을 정확히 파악한 후, 만약 가능하다면 차량을 도로의 가장자리나 비상 차선으로 옮겨 2차 사고의 위험을 줄인다.

비상등 켜기: 사고 차량의 비상등을 켜 다른

운전자들에게 사고 사실을 알린다.

차량에서 벗어나기: 차량이 화재의 위험이 있거나 추가 사고의 위험이 있다면, 신속하게 차량에서 벗어난다. 주변 상황을 재빨리 파악하고, 차량에서 벗어나는 것이 안전할지 반드시 신중하게 판단한 후 안전한 곳으로 이동한다.

이동은 항상 신중하게: 주변 상황을 제대로 파악하지 않은 채 차에서 함부로 내리거나 차를 움직이는 것은 자칫 2차 사고로 이어질 가능성이 매우 크다. 차량을 이동할 때에나 차에서 내려 이동하고자 하는 두 경우 모두 주변 상황을 신중하게 파악한 후 침착하게 결정을 내려야 한다. 절대로 패닉에 빠져서 아무 생각 없이 움직여서는 안된다.

구조 요청하기: 즉시 119나 긴급 구조 요청 번호로 전화하여 구조를 요청한다. 사고의 위치, 규모, 부상자의 상태 등을 가능한 정확하게 전달한다.

응급처치 실시하기: 부상자가 있다면, 기본적인

응급처치를 실시한다. 그러나 본인이 응급처치에 대한 지식이 없거나, 부상자의 상태를 악화시킬 수 있다면 신중히 행동한다.

사고 현장 보존하기: 구조대가 도착할 때까지 사고 현장을 그대로 유지한다. 사고 조사에 도움이 될 수 있는 현장 상태를 보존하는 것이 중요하다.

대피 및 구조대 도착 대기하기: 안전한 곳으로 대피하여 구조대의 도착을 기다린다. 구조대의 지시에 따라 행동한다.

대형 교통사고는 매우 위험한 상황으로, 신속하고 체계적으로 대처하는 것이 중요하다. 따라서, 운전자라면 언제든지 발생할 수 있는 이러한 상황에 대비해야 하며, 응급처치 기술에 대한 기본적인 지식을 갖추는 것도 도움이 된다.

생존법 23. 갯벌에 갇혔을 때

갯벌에 갇혔을 때의 생존법은 매우 중요하다. 갯벌은

물렁하고 움직이기 어려운 지형 특성을 가지고 있어, 한 번 갇히면 자력으로 빠져나오기 어려울 수 있다. 다음은 갯벌에 갇혔을 때 취해야 할 조치들이다:

침착함을 유지하기: 갯벌에 갇혔을 때 가장 중요한 것은 침착함을 유지하는 것이다. 과도한 움직임은 더 깊이 빠지게 할 수 있다.

구조 요청하기: 가능한 한 빨리 구조를 요청한다. 휴대전화가 있다면 긴급 구조 요청을 하고, 휴대전화가 없다면 주변 사람들에게 도움을 요청한다.

몸을 수평으로 하기: 가능한 한 몸을 갯벌 바닥에 눕혀서 수평으로 유지하려고 노력한다. 이는 몸의 압력을 넓은 면적에 분산시켜 더 깊이 빠지는 것을 방지한다.

천천히 움직이기: 갑작스러운 움직임이나 심한 허우적거림은 피하고, 부드럽게 움직이려고 시도한다. 똑바로 서서 일어나려고 계속해서 움직일수록

오히려 더 깊게 빠질 수 있다. 가능하면, 뒤로 기울어 몸의 면적을 넓혀 갯벌에서 빠져나올 수 있도록 한다. 만약 주변에 판자처럼 넓은 물체가 있다면, 천천히 누워서 그 위로 올라가려고 하는 것도 좋은 방법이다.

구조를 기다리기: 자력으로 빠져나오기 어려운 경우에는 구조를 기다리는 것이 안전하다. 구조대가 도착할 때까지 침착하게 기다린다.

갯벌에 갇힌 경우, 공황 상태에 빠지기 쉽지만, 이는 상황을 더욱 악화시킬 수 있다. 따라서, 갯벌에서의 위험을 인지하고, 가능한 한 갯벌에 들어가지 않는 것이 최선이다. 만약 갯벌에 들어가야 한다면, 항상 안전을 고려하고, 가능한 한 물이 빠진 낮은 조수 시간에 활동하는 것이 좋다.

생존법 24. 뱀에 물렸을 때

뱀에 물린 경우의 대처법은 다음과 같다.

안전한 곳으로 이동하기: 뱀에 물린 경우 즉시 안전한 곳으로 이동한다. 추가 공격으로부터 벗어나는 것이 우선이다.

부상 부위를 움직이지 않게 하기: 물린 부위를 가능한 한 움직이지 않도록 한다. 이는 독이 몸 전체로 퍼지는 것을 늦출 수 있다.

물린 부위 아래에 위치시키기: 물린 부위를 심장보다 낮게 위치시킨다. 이는 독의 순환을 느리게 하는 데 도움이 된다.

의료 도움을 받기: 가능한 한 빨리 의료 도움을 요청한다. 뱀에 물린 경우, 가능한 한 빠르게 전문 의료 기관으로 이동하는 것이 중요하다.

풀거나 조이는 것을 피하기: 물린 부위에 풀거나 조이는 것을 피한다. 이는 독이 퍼지는 것을 막지 않으며, 오히려 상황을 악화시킬 수 있다.

상처를 자르거나 빨지 않기: 상처 부위를 자르거나 빨아내려고 시도하지 않는다. 이러한 행동은 상처를 악화시키고 감염의 위험을 증가시킬 수 있다.

물린 부위 식별하기: 가능하다면 뱀의 종류를 식별하려고 노력한다. 이 정보는 의료진이 적절한 치료를 제공하는 데 도움이 될 수 있다.

충분한 수분 섭취하기: 물을 충분히 마시되, 카페인이나 알코올은 피한다. 이는 몸의 탈수를 방지하고 독의 영향을 최소화하는 데 도움이 된다.

구급차 도착까지 대기하기: 구급차가 도착하거나 의료 기관으로 이동할 때까지 침착하게 대기한다. 뱀에 물린 부위를 지속적으로 모니터링한다.

뱀에 물린 경우, 신속한 조치와 전문적인 의료 치료가 중요하다. 자가 치료를 시도하기보다는 가능한 한 빨리 의료진의 도움을 받는 것이 최선의 방법이다.

2부: 언제든 필요한 생존 기술

생존 기술 1. 심폐소생술(CPR)

심폐소생술(CPR)은 응급 상황에서 생명을 구할 수 있는 중요한 기술이다. 심장마비나 호흡 정지가 의심될 때 심폐소생술을 적절히 시행하는 방법은 다음과 같다.

안전 확인하기: 응급 상황 발생 시 가장 먼저 주변 환경이 안전한지 확인한다. 위험한 요소가 있다면 환자를 안전한 곳으로 옮긴다.

의식 확인하기: 환자의 어깨를 가볍게 흔들며 큰 소리로 환자에게 말을 건네 의식이 있는지 확인한다. "괜찮으세요?"와 같은 말로 의식을 확인하는 것이 좋다.

도움 요청하기: 환자가 의식이 없는 경우 즉시 주변 사람에게 구급차를 부르도록 지시한다. 구급차

호출이 어려운 경우 직접 119에 전화를 한다. 가능하면 자동제세동기(AED)를 가져올 것을 요청한다.

호흡 확인하기: 환자의 호흡이 있는지 확인한다. 이는 환자의 가슴이 올라가는지, 숨소리가 들리는지 확인함으로써 이루어진다. 호흡 확인은 10초 이내로 짧게 이루어져야 한다.

심폐소생술 시작하기: 호흡이 없는 경우 즉시 심폐소생술을 시작한다. 환자를 등을 대고 평평한 바닥에 눕힌다. 손바닥을 겹쳐 환자의 가슴 중앙, 늑골 사이에 위치시킨다.

가슴 압박하기: 양팔을 곧게 펴고, 몸의 무게를 이용해 환자의 가슴을 세게 눌러준다. 가슴 압박은 분당 약 100~120회의 빠르고 규칙적인 속도로 이루어져야 한다. 가슴이 약 5cm 정도 내려갈 정도로 깊게 압박한다.

인공호흡 실시하기: 가능하면 인공호흡을 실시한다.

가슴 압박 30회 후에 환자의 코를 막고 입을 환자의 입에 대고 두 번의 숨을 불어넣는다.

AED 사용하기: 자동제세동기(AED)가 도착하면 즉시 사용한다. AED의 지시에 따라 패드를 환자의 가슴에 부착하고, 기계의 안내에 따라 조작한다.

구급대원 도착할 때까지 계속하기: 구급대원이 도착하고 환자를 인계할 때까지 심폐소생술을 계속한다. 피로감을 느끼면 다른 사람과 교대한다.

심폐소생술은 심장 정지 환자에게 필수적인 처치이며, 적절히 시행될 경우 생존률을 크게 높일 수 있다. 따라서, 가능한 모든 사람이 심폐소생술 방법을 숙지하고 있어야 하며, 실제 상황에서 침착하게 대응할 수 있도록 꾸준히 연습하는 것이 중요하다.

생존 기술 2. 영유아용 심폐소생술

영유아용 심폐소생술(CPR)은 성인용 심폐소생술과

몇 가지 차이가 있으며, 특히 가슴압박, 인공호흡 방법에서 중요한 차이점이 있다. 영유아는 몸이 더 작고 연약하기 때문에 더 세심한 주의가 필요하다.

성인용 심폐소생술을 진행할지 영유아용 심폐소생술을 진행할지는 전문적인 지식을 갖춘 의료진의 판단이 필요하지만, 긴박한 상황 속에서는 의료진의 판단을 기다리는 것보다 신속한 심폐소생술 실시가 더 중요하다. 이럴 때 일반인이 판단을 내리기에 유용한 기준은 만 8세를 넘었는지 여부이다. 만 8세 미만의 영유아에게는 영유아용 심폐소생술을 진행하고, 만8세 이상의 아동, 청소년, 성인에게는 성인용 심폐소생술을 진행하는 것이 좋다. 다음은 영유아용 심폐소생술 절차이다.

안전 확인하기: 먼저 주변 환경이 안전한지 확인한다. 영유아를 위험한 상황에서 안전한 곳으로 옮긴다면, 가능한 부드럽게 이동시켜야 한다.

의식 확인하기: 영유아의 반응을 확인하기 위해 부드럽게 자극한다. 큰 소리로 부르거나, 발바닥을

두드려 의식을 확인한다.

도움 요청하기: 영유아가 반응이 없다면 즉시 도움을 요청한다. 주변에 다른 사람이 있다면 119에 전화하도록 지시하고, 혼자라면 직접 전화를 한다. 가능한 빨리 전화를 마치고 영유아에게 돌아와 CPR을 시작한다.

호흡 확인하기: 영유아의 호흡을 확인한다. 이는 영유아의 가슴이 올라가는지 관찰하고, 호흡 소리를 들으며, 입이나 코에서 호흡을 느끼는지 확인함으로써 이루어진다.

가슴 압박 시작하기: 호흡이 없다면 즉시 가슴 압박을 시작한다. 영유아의 경우, 성인과는 달리 두 손가락을 사용하여 가슴 중앙에 위치시킨다. 가슴 압박은 성인보다 부드럽게, 그러나 분당 약 100~120회의 빠르고 규칙적인 속도로 이루어져야 한다. 가슴이 약 4cm 정도 내려갈 정도로 깊게 압박한다.

인공호흡 실시하기: 30회의 가슴 압박 후에 인공호흡을 실시한다. 영유아의 경우, 심폐소생술 실시자의 입을 통해 유아의 입과 코를 동시에 감싼 후 숨을 부드럽게 두 번 불어넣는다.

계속해서 CPR 실시하기: 가슴 압박과 인공호흡을 번갈아 가며 계속한다. 2분마다 상황을 재평가하며, 영유아가 호흡을 시작하거나 의식을 회복할 때까지 계속한다.

구급대원 도착할 때까지 진행하기: 구급대원이 도착하고 유아를 인계할 때까지 CPR을 계속한다.

영유아용 심폐소생술은 영유아의 생명을 구할 수 있는 중요한 기술이다. 영유아의 경우, 호흡 정지가 심장 정지보다 더 흔하게 발생하므로, 호흡과 의식을 확인하는 단계가 매우 중요하다. 가능한 모든 보호자와 교사가 영유아용 심폐소생술 방법을 숙지하고 있어야 하며, 정기적인 연습을 통해 기술을 유지하는 것이 중요하다.

생존 기술 3. 하임리히 요법

하임리히 요법은 기도 폐쇄를 일으킨 응급 상황에서 사용하는 중요한 기술이다. 기도에 음식물이나 다른 물체가 걸려 숨을 쉬지 못하는 사람에게 적용한다. 다음은 하임리히 요법의 정확한 실시 방법이다:

응급 상황 파악하기: 먼저, 환자가 진정으로 기도 폐쇄 상태인지 확인한다. 환자가 기침을 할 수 없고, 말을 할 수 없으며, 숨을 쉬는 데 어려움을 겪는지 확인한다.

환자 뒤에 서기: 환자의 뒤로 가서 한 발을 앞으로 내디뎌 무릎과 허벅지에 환자가 기대로록 안정적인 자세를 취한다. 이는 환자가 기절할 경우 지탱할 수 있도록 한다.

주먹 만들기: 한 손을 주먹으로 만들고, 엄지를 환자의 몸 쪽으로 향하게 한다. 주먹의 엄지 부분을 환자의 배꼽 바로 위, 갈비뼈 아래에 위치시킨다.

다른 손으로 주먹 잡기: 다른 손으로 주먹을 감싸고, 빠르고 결단력 있는 움직임으로 위로 당긴다. 이때 배를 강하게 눌러서 기도 내의 이물질을 밀어내려는 힘을 가한다.

충격 반복하기: 이 충격은 강하고 빠르게 여러 번 반복한다. 이물질이 나올 때까지, 환자가 기침을 시작하거나 정상적으로 숨을 쉴 때까지 계속한다.

의료 도움 요청하기: 가능한 한 빨리 119에 전화하거나 주변 사람에게 의료 도움을 요청한다. 하임리히 요법을 시도하는 동안 다른 사람이 구급차를 부를 수 있도록 한다.

기도가 열리면 관찰하기: 이물질이 제거되고 환자가 정상적으로 숨을 쉬게 되면, 여전히 환자를 관찰한다. 기도 폐쇄가 재발할 위험이 있으므로 주의 깊게 살펴본다.

하임리히 요법은 정확한 기술이 필요하다. 또한, 의식이 없는 환자에게는 하임리히 요법 대신 가슴 압박을 실시한다.

생존 기술 4. 영아용 하임리히 요법

영아(생후 12개월 미만의 아기)에게 하임리히 요법을 실시하는 방법은 성인이나 어린이와 다르다. 영아의 경우, 몸이 작고 연약하기 때문에 더욱 주의 깊게 처치를 해야 한다. 다음은 영아용 하임리히 요법의 정확한 실시 방법이다:

응급 상황 파악하기: 먼저, 아기가 실제로 기도 폐쇄 상태인지 확인한다. 울음소리나 기침을 할 수 없고, 숨을 쉬는 데 어려움을 겪는지 살핀다.

안전한 자세로 아기를 눕히기: 한 손으로 아기의 머리와 목을 지지하고, 아기를 무릎 위에 엎드리게 눕힌다. 아기의 머리가 몸통보다 약간 낮은 위치에 오도록 한다.

등을 가볍게 두드리기: 아기의 등 중앙, 어깨 뼈 사이에 위치한 부분을 손바닥으로 가볍고 정확하게

5회 두드린다. 이는 기도 내의 이물질을 밀어내려는 목적이다.

아기를 뒤집어 배를 압박하기: 아기를 조심스럽게 뒤집어 다른 손의 무릎 위에 배가 오도록 눕힌다. 아기의 가슴을 두 손가락으로 가볍게 5회 압박한다.

반복하기: 이 과정을 등 두드리기와 배 압박을 번갈아 가며 반복한다. 이물질이 나오거나 아기가 정상적으로 호흡하기 시작할 때까지 계속한다.

의료 도움 요청하기: 가능한 한 빨리 의료 도움을 요청한다. 하임리히 요법을 시도하는 동안 다른 사람이 구급차를 부를 수 있도록 한다.

아기 상태 관찰하기: 기도가 열리고 아기가 정상적으로 호흡하기 시작하면, 아기의 상태를 지속적으로 관찰한다. 기도 폐쇄가 재발할 위험이 있으므로 주의 깊게 살펴본다.

영아용 하임리히 요법은 아기의 크기와 연령에 맞게

조정된다. 아기를 다룰 때는 항상 부드럽고 조심스럽게 행동해야 하며, 너무 세게 두드리거나 압박하지 않도록 주의한다. 이 방법은 영유아의 생명을 구할 수 있는 중요한 기술이므로, 보호자와 보육 교사는 이 방법을 숙지하고 정기적으로 연습하는 것이 좋다.

생존 기술 5. 불 피우기

불 피우기는 생존 상황에서 중요한 기술 중 하나이다. 도구가 없을 때 불을 피우는 방법은 여러 가지가 있으며, 주변 환경과 사용 가능한 자원에 따라 달라진다. 다음은 도구 없이 불을 피우는 몇 가지 방법들이다:

마찰을 이용한 불 피우기: 두 개의 나무 조각을 사용하여 마찰을 일으킨다. 하나의 나무 조각(마찰대)을 빠르게 다른 나무 조각(기초대)에 문질러 열을 발생시킨다. 이때, 기초대에는 작은 홈을 파고 거기에 마른 풀이나 가지 등을 놓아 불씨를 만든다.

석기를 이용한 불 피우기: 석영이나 부싯돌과 같은 단단한 돌을 금속에 강하게 치면 불꽃이 튄다. 이 불꽃을 마른 풀이나 나뭇잎에 닿게 하여 불씨를 만든다.

태양의 열을 이용한 불 피우기: 태양의 열을 집중시켜 불을 붙일 수 있다. 이를 위해 맑은 날, 돋보기, 안경 렌즈 또는 알루미늄 호일과 같은 반사체를 사용한다. 태양 빛을 한 지점에 집중시켜 마른 풀이나 나뭇잎에 불을 붙인다.

건조한 나뭇가지 사용하기: 건조한 나뭇가지는 마찰을 통해 불을 피우기 쉽다. 나무의 종류에 따라 마찰에 의한 열 발생이 다를 수 있으므로 적절한 나무를 선택하는 것이 중요하다.

화재의 삼요소 이해하기: 불을 피우기 위해서는 연료, 열, 산소가 필요하다. 연료는 마른 나뭇가지나 풀, 열은 마찰이나 태양 빛, 산소는 공기 중에 존재한다. 이 세 요소를 적절히 조합하여 불을 붙이는 것이 중요하다.

불을 피우는 이러한 방법들은 기본적인 생존 기술로, 야외 활동이나 비상 상황에서 매우 유용하다. 하지만, 이러한 방법들은 연습과 숙련이 필요하며, 실제 상황에서 효과적으로 사용하기 위해서는 미리 연습해 두는 것이 좋다. 또한, 불을 다룰 때는 항상 주변 환경을 고려하고, 화재의 위험을 예방하는 것이 중요하다.

생존 기술 6. 오염된 물 정수하기

식수를 찾고 정화하는 것은 생존 상황에서 매우 중요하다. 깨끗하고 안전한 식수를 확보하는 방법은 다음과 같다:

식수 찾기: 자연 환경에서 식수를 찾을 때는 맑고 흐르는 물을 찾는 것이 좋다. 시냇물이나 작은 개울은 좋은 식수원이 될 수 있다. 물이 고여 있는 곳은 오염될 가능성이 높으므로 피하는 것이 좋다. 빗물을 모으거나 이슬을 모으는 것도 하나의

방법이다.

물 정화 방법 - 끓이기: 찾은 물을 정화하는 가장 확실한 방법은 끓이는 것이다. 물을 충분히 끓여 병원균을 제거한다. 일반적으로 물이 끓기 시작하면 1분 이상 계속 끓이면 대부분의 병원균은 사멸한다.

필터링: 천이나 모래, 숯 등을 이용하여 물을 걸러내는 것도 하나의 방법이다. 이는 물속의 불순물과 일부 미생물을 제거할 수 있다. 하지만 이 방법만으로는 모든 병원균을 제거할 수 없으므로 추가적인 정화 방법이 필요하다.

화학적 정화: 정제나 액체 정화제를 사용하는 방법도 있다. 요오드나 염소 정제는 물에 넣어 사용하며, 병원균을 효과적으로 살균할 수 있다. 하지만 화학적 정화제는 사용 방법을 정확히 숙지하고 사용해야 하며, 일부 사람에게는 알레르기 반응을 일으킬 수 있다.

UV 빛 사용: 휴대용 UV 정화 장치를 사용하여 물을

정화할 수도 있다. UV 빛은 물속의 병원균을
비활성화시킨다.

자연 필터 사용: 자연에서 발견할 수 있는 모래,
자갈, 숯 등을 사용하여 간이 정수 필터를 만들 수
있다. 이는 큰 불순물을 제거하는 데 도움이 되지만,
미생물 제거에는 한계가 있다.

식수를 찾고 정화하는 것은 생존의 핵심 요소이며,
안전한 식수를 확보하는 것이 중요하다. 가능한 경우,
여러 가지 방법을 병행하여 물을 정화하는 것이
가장 안전하다. 정 생존이 긴급한 상황이라면 완벽히
정화되지 않은 물이라도 섭취해야 하겠지만, 그런
상황에서도 최대한 가능한 방법을 동원하여
최소한의 정화라도 실시하는 것이 좋다.

생존 기술 7. 지혈법

지혈은 부상으로 인한 출혈을 효과적으로 멈추기
위한 중요한 응급처치 기술이다. 출혈을 멈추는
방법은 다음과 같다:

안전 확인하기: 응급 상황 발생 시, 우선 주변 환경이 안전한지 확인한다. 추가적인 위험이 있다면 환자를 안전한 곳으로 옮긴다.

부상 부위 파악하기: 출혈 부위를 신속하게 확인한다. 부상 부위의 상태에 따라 지혈 방법이 달라질 수 있다.

씻기: 출혈이 심하지 않고, 깨끗한 물과 적절한 소독 도구가 있다면 상처 부위를 씻어내는 것이 좋다. 하지만 출혈이 아주 심하거나, 깨끗한 물과 소독 도구가 없는 경우에는 우선 지혈을 실시하는 것이 낫다.

직접 압박하기: 깨끗한 천이나 붕대를 사용하여 출혈 부위에 직접 압박을 가한다. 강한 압력을 이용하여 출혈을 멈추도록 한다.

압박 붕대 사용하기: 붕대나 천을 출혈 부위에 꽉 묶어서 압박 효과를 유지한다. 너무 꽉 묶으면 순환

장애를 일으킬 수 있으므로 주의한다.

부상 부위 들어올리기: 가능하다면, 부상 부위를 심장보다 높게 위치시킨다. 이는 출혈을 줄이는 데 도움이 된다.

혈압 지점 압박하기: 대량 출혈의 경우, 혈압 지점(팔의 상완동맥이나 다리의 대퇴동맥 등)을 눌러 혈류를 줄이는 방법이 있다. 이 방법은 전문 지식이 필요하므로, 잘못된 사용은 피해를 늘릴 수 있다.

응급처치 후 관찰하기: 출혈이 멈춘 후에도 환자의 상태를 지속적으로 관찰한다. 상태가 악화되면 즉시 의료 기관에 연락한다.

구급차 호출하기: 심각한 출혈의 경우, 즉시 구급차를 호출한다. 전문 의료진의 도움이 필요할 수 있다.

지혈은 출혈 부위의 상태에 따라 적절한 방법을 선택해야 하며, 각 방법의 적용에 있어서는 주의가 필요하다. 출혈이 심한 경우에는 신속한 조치와 함께 전문 의료진의 도움을 받는 것이 중요하다.

생존 기술 8. 골절 응급처치

골절의 응급처치는 부상 부위를 추가 손상으로부터 보호하고 통증을 최소화하는 데 중점을 둔다. 다음은 골절의 기본적인 응급처치 방법이다.

안전 확인하기: 골절이 의심되는 환자를 돌보기 전에, 주변 환경이 안전한지 확인한다. 위험한 곳이라면 환자를 안전한 장소로 옮긴다.

골절 부위를 움직이지 않도록 하기: 골절이 의심되는 부위는 가능한 한 움직이지 않도록 한다.

부목 사용하기: 골절 부위를 고정시키기 위해 부목을 사용한다. 긴 나무나 철로 된 막대기 등 단단하고 긴 물체와 함께 천이나 끈 등을 이용할 수 있다. 부목은 부상 부위를 움직이지 않도록 지지해 주며, 부상 부위 주변을 포함하여 두 관절을 넘어서 고정시켜야

한다.

부목을 부착하기: 부목을 부착할 때는 부상 부위에 직접적인 압력을 가하지 않도록 주의한다. 부목이 피부를 자극하지 않도록 천이나 쿠션 등 푹신한 물체를 사이에 두는 것이 좋다.

고정 및 지지하기: 붕대나 천을 사용하여 부목을 고정한다. 그러나 너무 꽉 묶지 않도록 주의하여 혈액 순환을 방해하지 않도록 한다.

골절의 응급처치는 부상 부위를 추가적인 손상으로부터 보호하고, 통증을 줄이며, 신속한 의료 처치를 위한 준비 단계이다. 골절 부위를 움직이지 않도록 주의하며, 전문 의료 기관에서의 치료를 받는 것이 중요하다.

생존 기술 9. 방향 찾기

나침반이 있다면 나침반을 통해 방향을 찾을 수 있을 것이다. 그러나 나침반이 없을 때에도 방향을 찾아야 한다면, 자연의 표시와 기본적인 지식을 활용할 수 있다. 다음은 몇 가지 방향 찾기 방법이다.

태양 사용하기: 태양은 동쪽에서 뜨고 서쪽에서 진다. 아침에 태양이 뜨는 방향이 대략적인 동쪽이며, 저녁에 지는 방향은 서쪽을 가리킨다.

시계를 사용하는 방법: 아날로그 시계를 사용하여 방향을 찾을 수 있다. 북반구 기준으로, 시계의 시침을 태양 쪽으로 향하게 하고, 시침과 정오(12시) 사이의 각도를 반으로 나눈다. 이 선은 북쪽과 남쪽을 가리킨다.

별을 사용하기: 밤에는 북극성을 찾아 북쪽을 파악할 수 있다. 북극성은 항상 북쪽을 가리키며, 북두칠성의 '물병' 모양 두 별을 이어서 5배 정도 떨어진 곳에 위치한다.

자연의 표시 사용하기: 나무와 이끼의 성장 방향, 바람의 방향, 강의 흐름 등 자연의 표시를 관찰하여 방향을 유추할 수 있다. 이끼는 일반적으로 그늘진,

습한 곳에서 잘 자라므로, 주로 북쪽을 가리키는 경우가 많다.

지형 지도 읽기: 주변 지형을 관찰하고, 지도에서 학습한 지형과 비교하여 위치와 방향을 추정한다.

나무의 나이테 읽기: 나무의 나이테가 가장 넓은 부분을 찾는다. 북반구에서, 일반적으로 이 부분이 남쪽을 가리키는 경우가 많다.

나침반이 없을 때에는 이러한 방법들을 병행하여 방향을 찾는 것이 좋다. 하지만, 자연의 표시를 사용할 때는 주변 환경과 기후에 따라 다를 수 있으므로, 여러 방법을 종합적으로 고려하는 것이 중요하다.

생존 기술 10. 화상 응급처치

화상을 입었을 때의 대처법은 환자의 통증을 줄이고, 감염의 위험을 최소화하기 위해 매우 중요하다. 화상 부위의 적절한 처치 방법은 다음과 같다.

화상 부위를 식히기: 가장 먼저, 화상 부위를 차가운 물에 최소 10분에서 20분 동안 담그거나 흐르는 물에 씻는다. 이는 통증을 줄이고, 화상의 심각성을 감소시킨다. 수압이 너무 강하지 않은 물을 택하고, 화상 부위보다 조금 높은 곳부터 물을 흘려보내는 것이 좋다.

옷과 액세서리 제거하기: 화상 부위 주변의 옷이나 장신구는 화상을 악화시킬 수 있으므로, 가능한 한 부드럽게 제거한다. 단, 붙어있거나 녹고 있는 옷은 강제로 떼어내지 않는다. 자칫 피부까지 함께 떨어져 더 큰 문제를 야기할 수 있기 때문이다.

멸균 붕대 사용하기: 깨끗하고 건조한 멸균 붕대나 천으로 화상 부위를 덮는다. 이는 감염을 방지하고 추가적인 손상을 예방한다.

수포는 터뜨리지 않기: 화상 부위에 생긴 수포는 자연스럽게 치유되도록 둔다. 수포를 터뜨리면 감염의 위험이 증가한다.

충분한 수분 섭취하기: 화상 환자는 충분한 수분을 섭취해야 한다. 화상으로 인해 체내 수분이 손실될 수 있기 때문이다.

전문가의 도움 받기: 화상의 경우, 즉시 전문가의 도움을 받는다. 광범위하거나 심각한 화상은 즉시 의료 기관에 방문하여 전문적인 치료를 받아야 한다.

화상 부위의 적절한 처치는 감염을 방지하고 빠른 회복을 돕는 중요한 과정이다. 화상의 정도와 위치에 따라 적절한 응급처치를 실시하는 것이 중요하며, 심각한 화상의 경우에는 즉시 전문 의료진의 도움을 받아야 한다.

작가의 말

이상 24가지 위기상황에서의 생존법과 10가지 범용적 생존기술을 알아보았다. 어쩔 수 없이 위기상황에 빠졌을 때에는 언제나 침착함을 유지하고, 주변의 도움을 받고, 미리 준비하고 숙지한 대처방법을 실천하는 것이 좋다. 그를 위해서는 사전에 예상 가능한 위험상황과 대처법에 대해 조사하고, 물질적, 정신적 대비를 철저히 하고, 위험한 일을 가급적 피하되 불가피하게 위험한 일을 할 때에는 항상 여럿이 함께 해야 하며, 긴급상황에 도움을 요청할 수 있는 연락방안을 꼭 사전에 확보해야 한다.

그러나 무엇보다 중요한 것은 위기상황이 발생하지 않도록 사전에 예방하는 것이다. 우리 모두 이 점을 꼭 명심하자.

유용한 생존 기술을 알려주신 베어그릴스 아저씨와

서울대학교 보건진료소, 네셔널 지오그래픽과 디스커버리 다큐멘터리 제작진 및 출연진 모두에게 감사드린다.

2023.12.13
신동성 올림